SAWL BWCi BO?

HOW MANY BWCi BOS?

Tarddiad Celtaidd, (púca) bwci,
'bwgan', 'bwbach'.

Bwci Bo *(book-ee-boh).*
Celtic origin, *bwci* - 'hobgoblin',
'bogey', 'scary monster'.

atebol

Sawl Bwci Bo sydd wrthi'n nofio?

How many Bwci Bos are swimming in the sea?

O na, dim ond un.
Ble mae'r lleill yn cuddio?

Oh no, there's only one.
Where could the others be?

Sawl Bwci Bo sy'n gweiddi bw?

How many Bwci Bos
are shouting boo?

O, dyna un ac un arall.
Dau. Ond oes 'na
ragor ohonyn nhw?

Oh, there's one
and another one.
Now that makes two.

Sawl Bwci Bo yn y goeden sy'n cael sbri?

How many Bwci Bos are climbing in the tree?

Edrychwch ... un, dau, tri. Ond sawl un a welsoch chi?

Look ... one, two, three.
How many did you see?

Sawl Bwci Bo sy'n sbecian yn ddireidus?

How many Bwci Bos
are peeking behind
the door?

Un, dau, tri, pedwar.
Dyna i chi griw drygionus!

One, two, three, four.
Are there any more?

Sawl Bwci Bo sydd
wrthi'n pigo?

How many Bwci Bos
are bogey picking?

Pump. A nawr mae'r cnafon bach yn fflicio!

Five. Naughty monsters,
now they're bogey flicking!

Sawl Bwci Bo sydd yn y tŷ bwgan?

How many Bwci Bos are hiding in the haunted house?

Chwech. A welsoch chi'r llygoden yn cripian?

Six. Did you spot
the little mouse?

Sawl Bwci Bo sy'n chwyrnu yn y gwely?

How many Bwci Bos are snoring in their beds?

Sawl Bwci Bo sy'n bwyta pwdinau blasus?

How many Bwci Bos are munching tasty sweets?

Wyth. Wel, dyna i chi hen fwystfilod bach barus!

Eight. Greedy greedy monsters, they've eaten all the treats!

WYTH

EIGHT

Sawl Bwci Bo sy'n dawnsio yn ddi-baid?

How many Bwci Bos are dancing to the beat?

Naw. A wnaethoch chi gyfri eu traed?

Nine. But did you count their little furry feet?

Sawl Bwci Bo sy'n byrpio ar ôl te?

How many Bwci Bos
are burping after
eating lots of food?

Deg. Bwystfilod bach haerllug, yn torri gwynt dros y lle!

Ten. Dearie me. These monsters, oh, they're being very rude!

Wel, rydych chi'n glyfar iawn.
Wedi cyfri i ddeg – o ddifri!

Ond a allwch chi'i wneud e
tuag yn ôl? Ewch ati eto i gyfri!

Well now you're really smart.
You've learnt how to count to ten!

But can you do it backwards?
Go on, count back again!

YMARFER DY SGILIAU CYFRI

PRACTICE YOUR COUNTING SKILLS

SAWL LOLIPOP Y GELLI DI EI GYFRI?

HOW MANY LOLLIPOPS CAN YOU COUNT?

(2) (4) (3)

SAWL CACEN Y GELLI DI EI GWELD? →

HOW MANY CAKES DO YOU SEE?

(7) (5) (4)

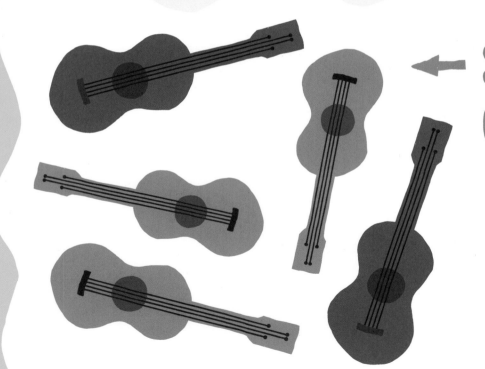

← SAWL GITÂR GOCH Y GELLI DI EI CHYFRI?

HOW MANY RED GUITARS CAN YOU COUNT?

(3) (5) (8)

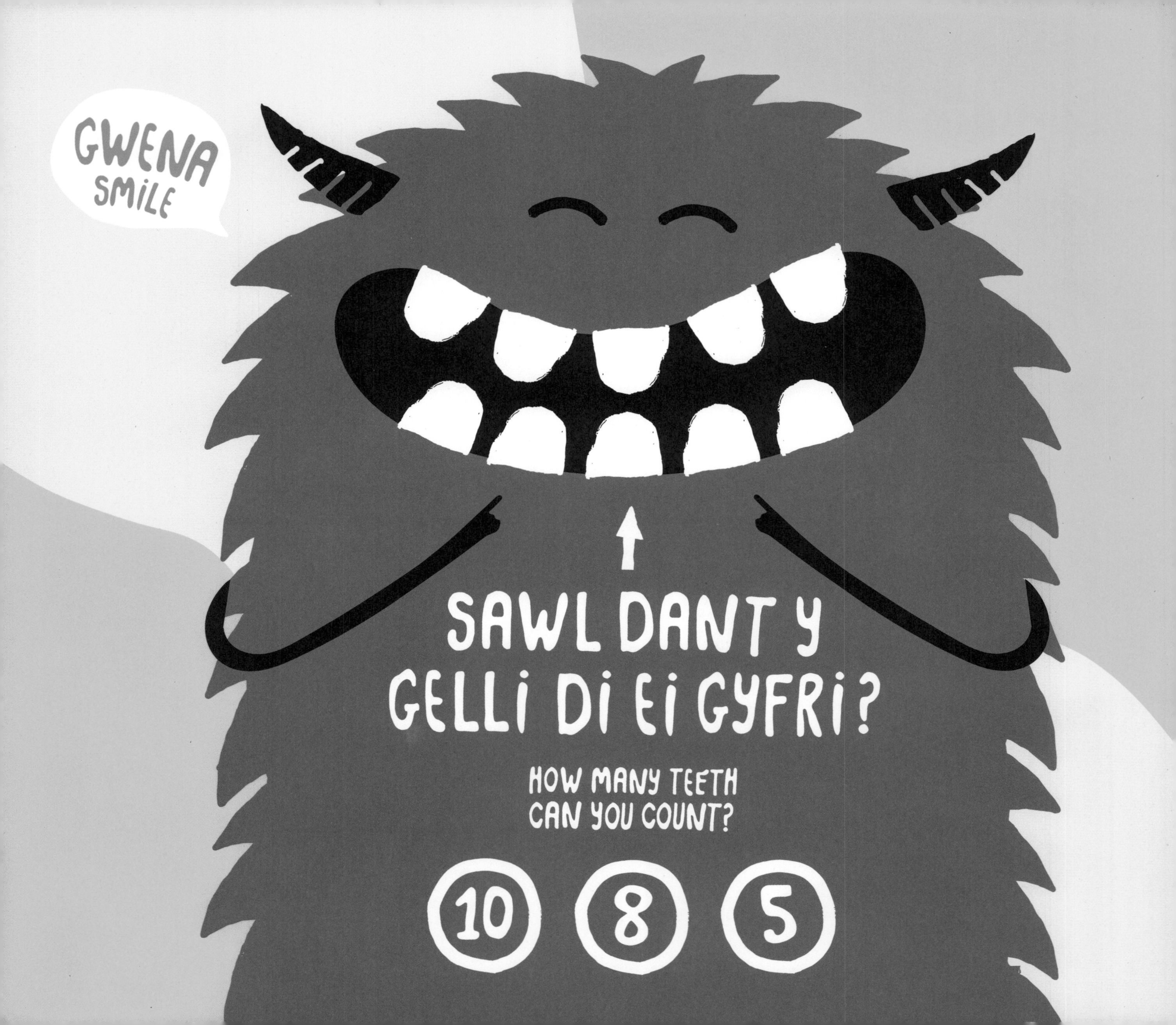
GWENA
SMILE
SAWL DANT Y
GELLI DI EI GYFRI?
HOW MANY TEETH
CAN YOU COUNT?
10
8
5

SAWL COES Y GELLI DI EI CHYFRI?

HOW MANY LEGS CAN YOU COUNT?

SAWL BOGI Y GELLI DI EI GWELD?

HOW MANY BOGEYS DO YOU SEE?

Cyhoeddwyd yr argraffiad BookTrust hwn yn 2022 gan Atebol Cyfyngedig,
Adeiladau'r Fagwyr, Llanfihangel Genau'r Glyn,
Aberystwyth, Ceredigion SY24 5AQ

www.atebol.com

ISBN 978-1-80106-137-7